ᐃᒪᐅᑉ ᒥᒃᓵᓄᑦ ᐅᖃᐅᓰᑦ
IMAUP MIKSAANUT UQAUSIIT
WATER WORDS

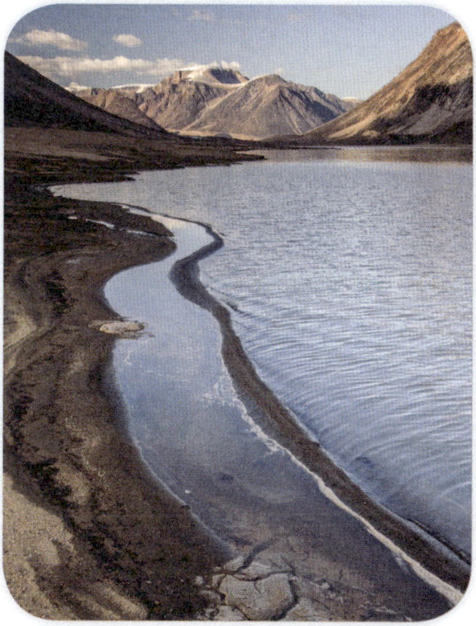

ᑰᒃ

kuuk

river

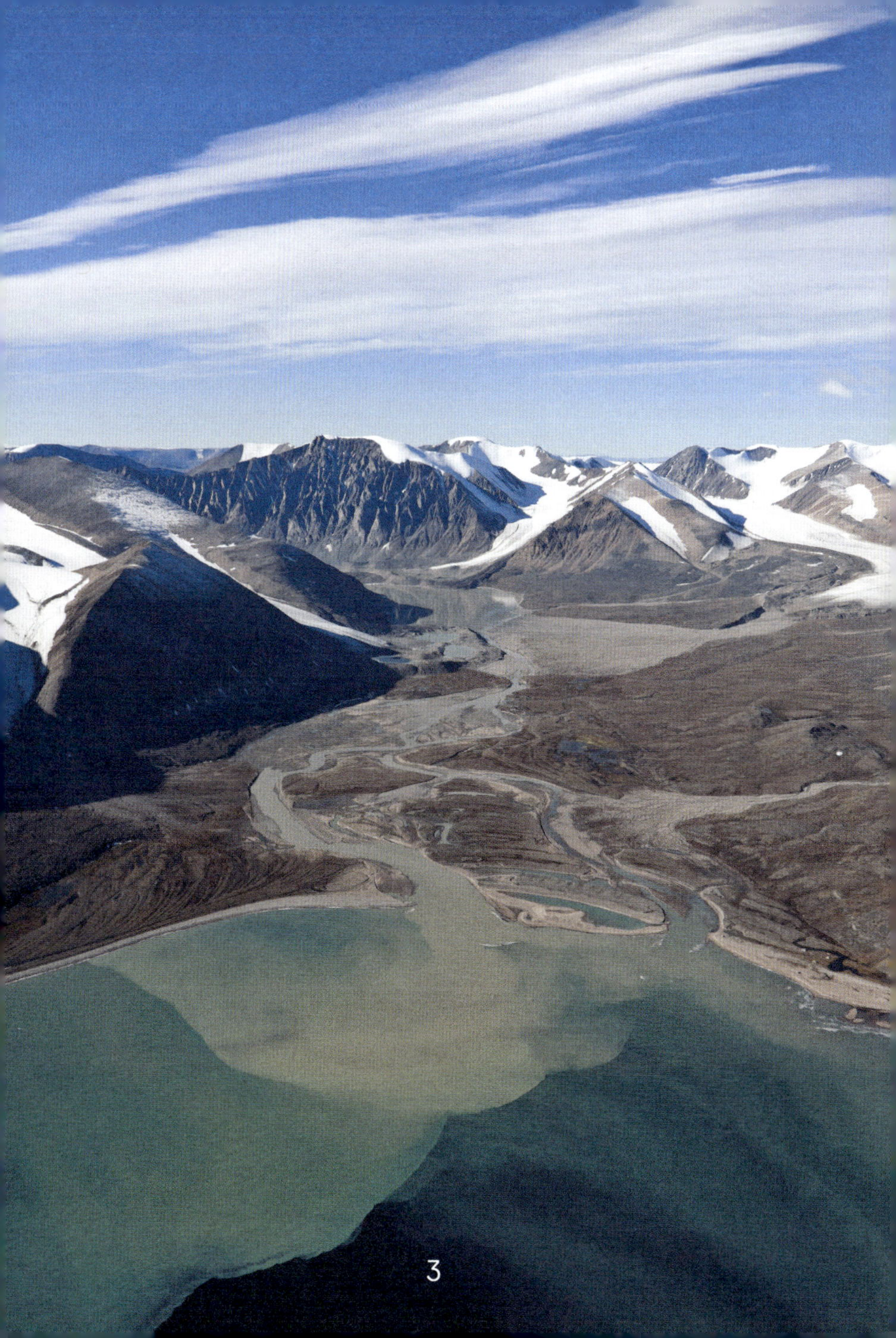

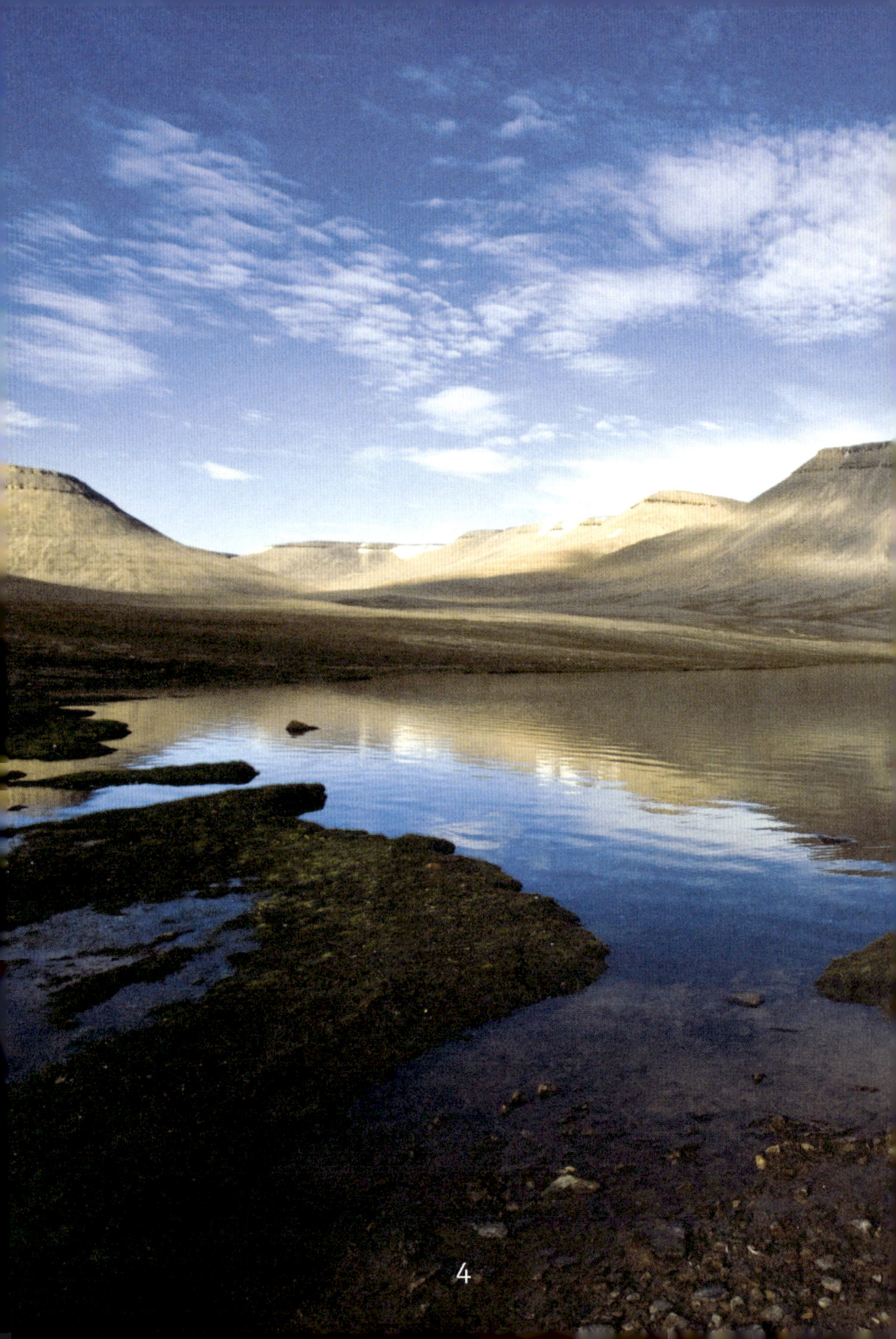

ᑕᓯᖅ

tasiq

lake

ᐃᒪᕕᒃ

imavik

sea

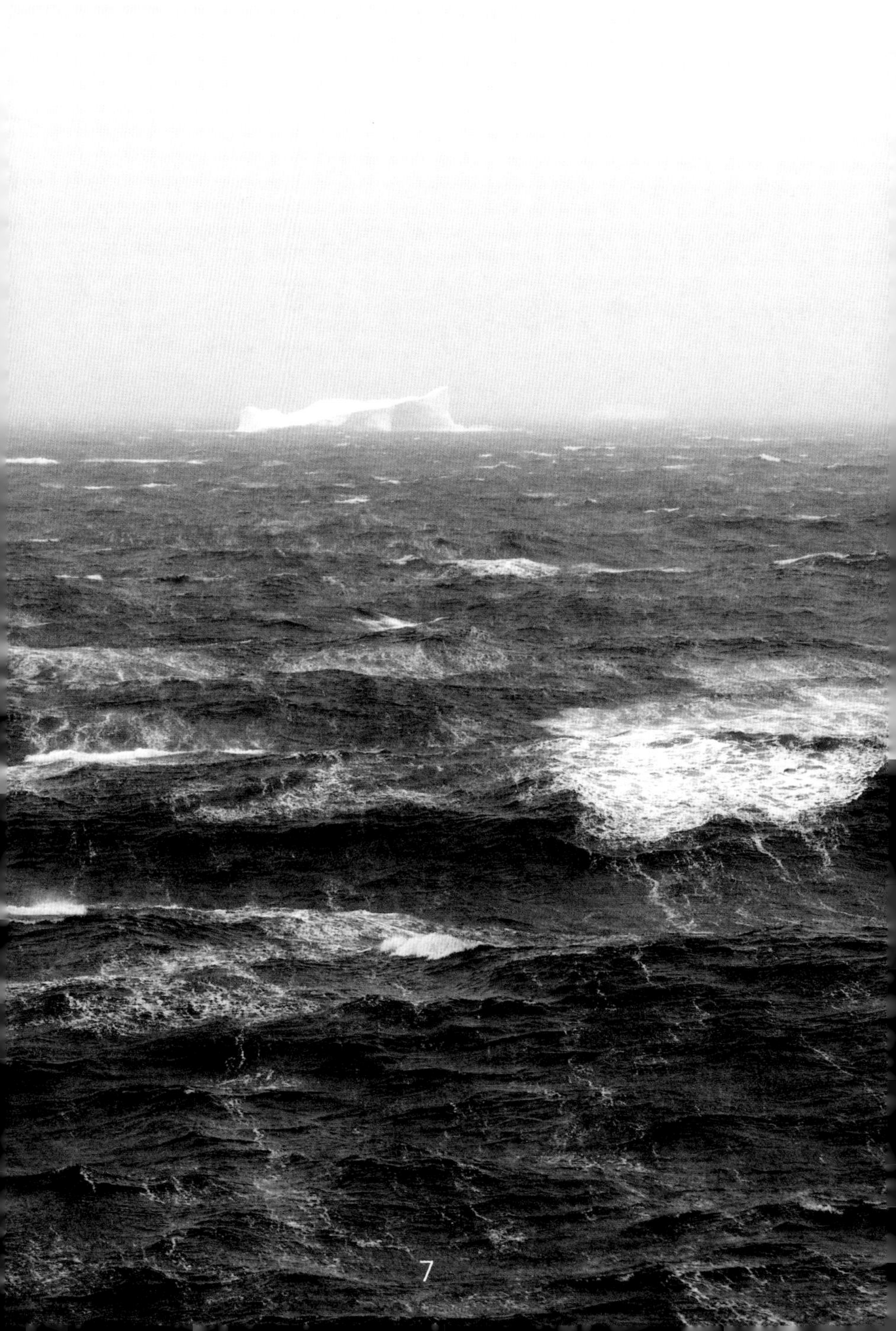

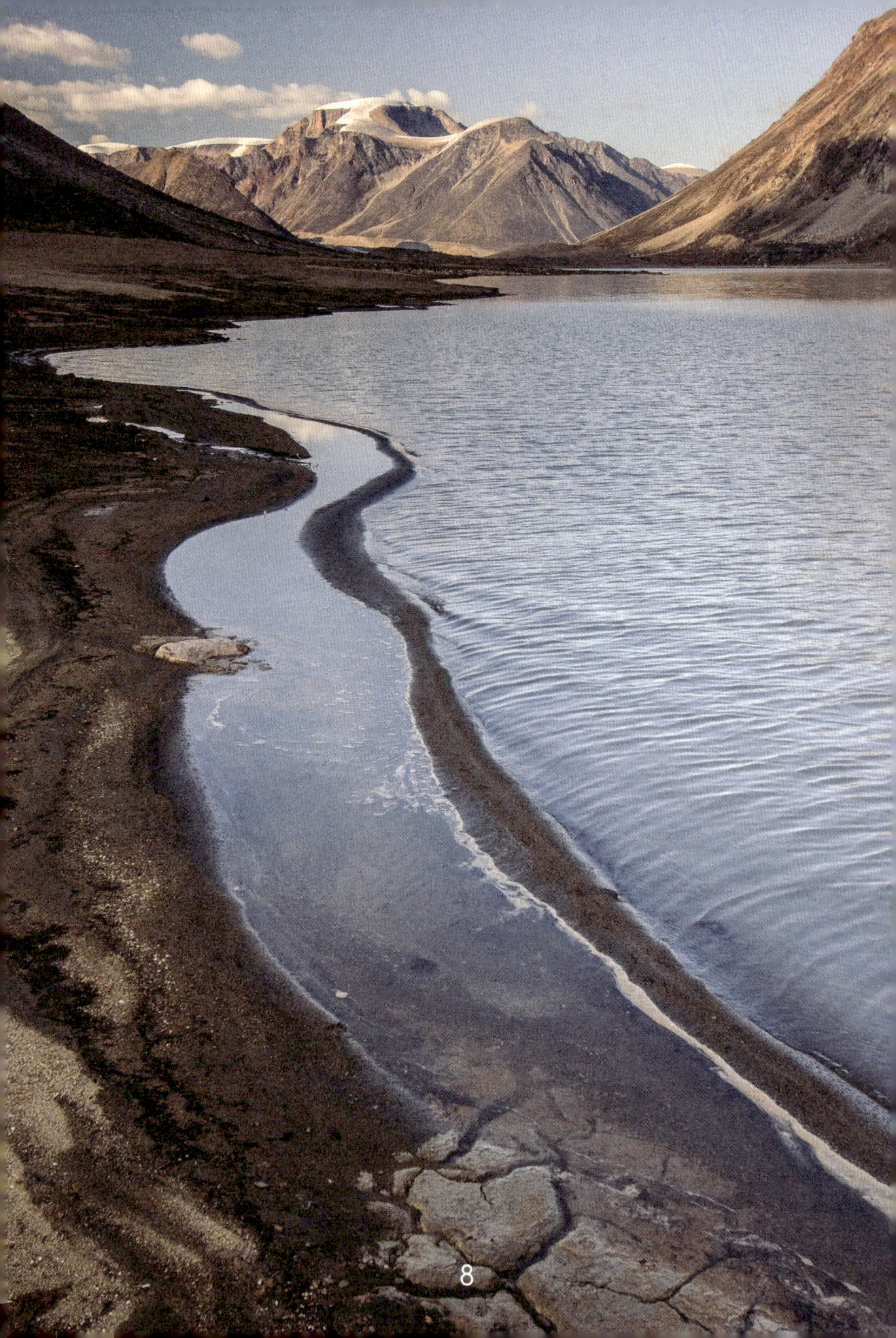

ᓯᒡᔭᖅ

sigjaq

shoreline

ᓯᑯ

siku

ice

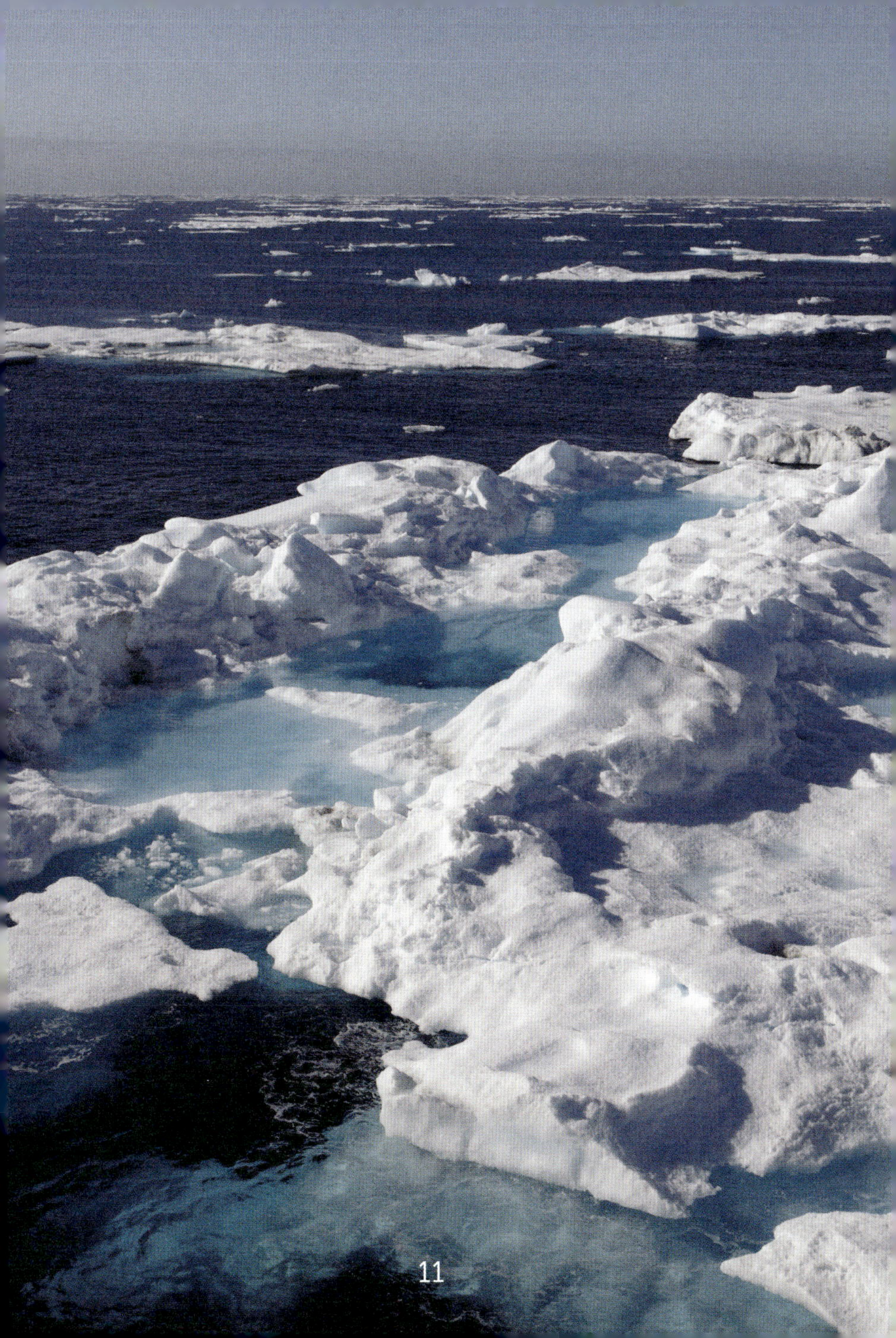

Nunavummi